Texte : Carole Tre
Illustrations : Céline

Théodore le mille-pattes

Je dévore les livres

Données de catalogage avant publication (Canada)

Tremblay, Carole, 1959-
Théodore le mille-pattes
(À pas de loup. Niveau 3, Je dévore les livres)
Pour enfants.

ISBN 2-89512-183-4

I. Malépart, Céline. II. Titre. III. Collection.

PS8589.R394T43 2001 jC843'.54 C00-941583-1
PS9589.R394T43 2001
PZ23.T73Th 2001

Éditrice : Dominique Payette
Directrice de collection :
Lucie Papineau
Direction artistique et graphisme :
Primeau & Barey
Dépôt légal : 1er trimestre 2001
Bibliothèque nationale du Québec
Bibliothèque nationale du Canada

Dominique et compagnie
300, rue Arran, Saint-Lambert
(Québec) Canada J4R 1K5
Téléphone : (514) 875-0327
Télécopieur : (450) 672-5448
Courriel : info@editionsheritage.com

Imprimé au Canada

10 9 8 7 6 5 4 3 2

Nous remercions le Conseil des Arts du Canada de l'aide accordée à notre programme de publication, ainsi que la SODEC et le ministère du Patrimoine canadien.

Gouvernement du Québec
– Programme de crédit d'impôt pour l'édition de livres – Gestion SODEC

Aux enfants de l'école Laurentide,

à Linda, leur gentille bibliothécaire,

et surtout à Théo, l'adorable petit curieux à deux pattes

989, 990... Théodore le mille-pattes enfile ses souliers. Pas ses souliers de tous les jours. Non. Ses beaux souliers noirs en cuir verni.

991, 992... Théodore astique chacun d'eux avant d'y glisser le pied. Aujourd'hui est un jour très particulier. Aujourd'hui aura lieu le grand spectacle de l'école. Et Théodore y tiendra la vedette.

Théodore est le roi de la danse à claquettes. Ses mille petites pattes cliquent et claquent au rythme de la musique. Personne ne peut rivaliser avec lui. C'est l'as des as.

Bien sûr, l'abeille sait bourdonner mieux que tout le monde.

Évidemment la sauterelle excelle au saut en hauteur.

La cigale, elle, peut chanter des heures sans se fatiguer. Mais personne, personne ne danse avec autant de grâce et d'entrain que Théodore.

993, 994... Quand il pense au spectacle de ce soir, Théodore a des petits poissons qui lui gigotent dans le ventre. Des petits poissons de toutes les couleurs qui le chatouillent de l'intérieur.

995, 996... Théodore a hâte, mais il a peur aussi. Et si les gens n'aimaient pas sa danse ? S'il oubliait les pas et perdait le tempo ?

Théodore chasse rapidement ses idées noires. Tout ira bien. Tout ira très bien. Linda, sa maîtresse d'école, le lui a répété au moins mille fois.

997, 998. Plus que deux chaussures à mettre. Théodore se dépêche. 999… Plus qu'une… Mais… Mais où est la millième ? Le cœur de Théodore se met à tambouriner. Il n'a quand même pas perdu sa millième chaussure le jour du spectacle !

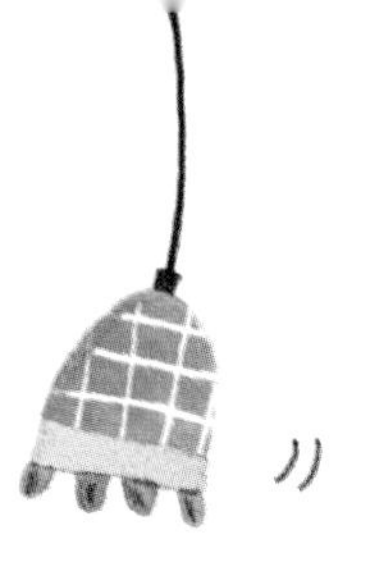

Théodore fait le tour de sa chambre sur ses 999 pattes chaussées. Tip-tip-tap, tip-tip-tap.

Il regarde partout. Tip-tip-tap. Sur le tapis. Tip-tip-tap. Sous le lit. Tip-tip-tap. Dans le coffre à jouets. Tip-tip-tap. Derrière la commode. Tip-tip-tap. Au fond de l'armoire. Tip-tip-tap. Entre les peluches qui encombrent son lit. Rien. Pas le moindre petit bout de lacet.

Le cœur de Théodore bat de plus en plus vite. Un mille-pattes ne peut pas donner un spectacle de danse avec seulement 999 souliers ! C'est ridicule !

Où peut bien être cette chaussure ? Théodore réfléchit. Au lavage ? Non. Chez le cordonnier ? Non. Dans le frigo ? Non. À la poubelle ? Non. Non, non, non et non. Où est-elle, alors ?

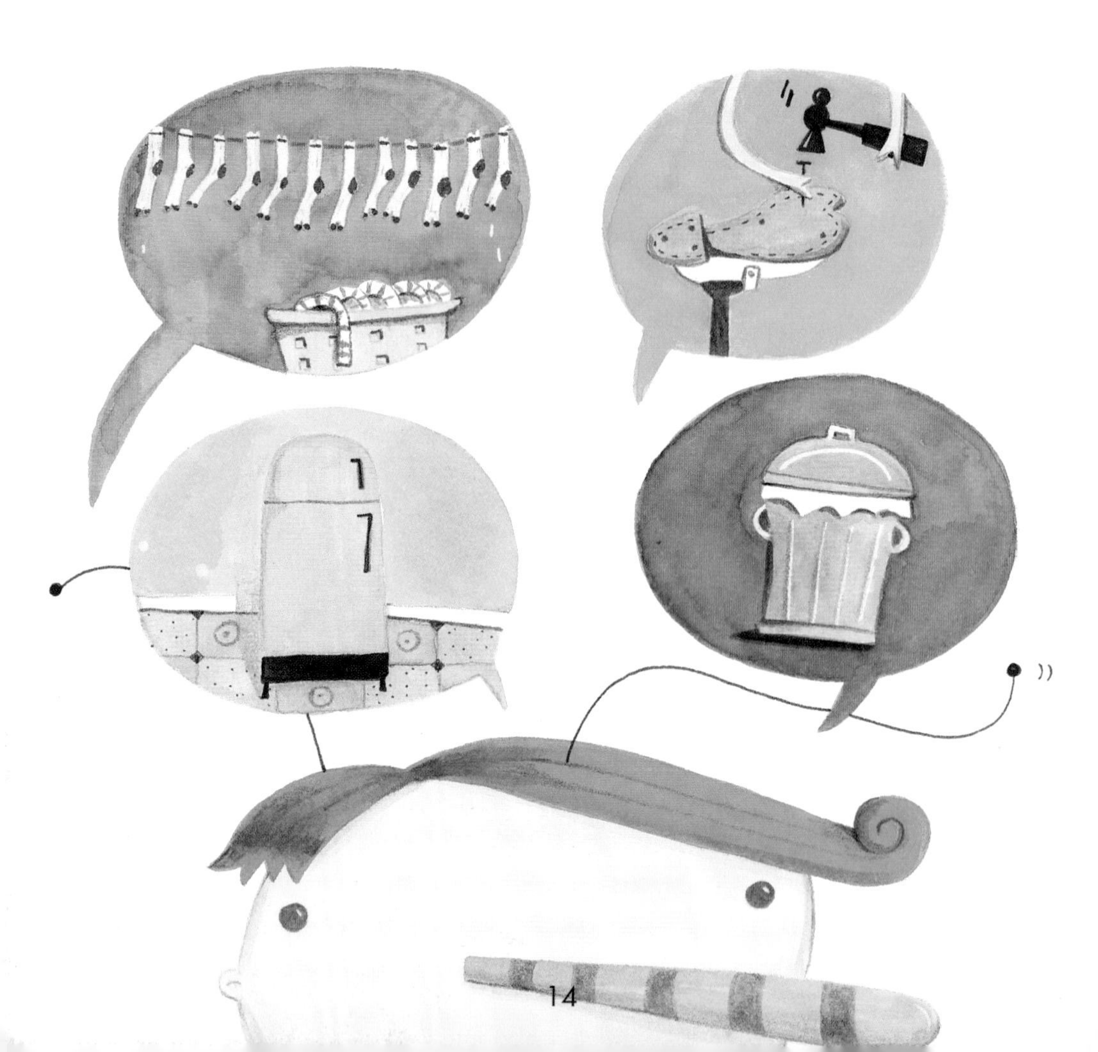

Théodore parvient à calmer son cœur affolé. Il se souvient des paroles de la maîtresse : « Lorsqu'on a un problème et qu'on ne peut pas le résoudre tout seul, il faut demander de l'aide. »

Tip-tap. En deux bonds, Théodore est à côté du téléphone. Il appelle son meilleur ami, Ahmed le bourdon. Ahmed étudie à l'école des détectives. Il saura sûrement aider Théodore à retrouver la chaussure mystérieusement disparue.

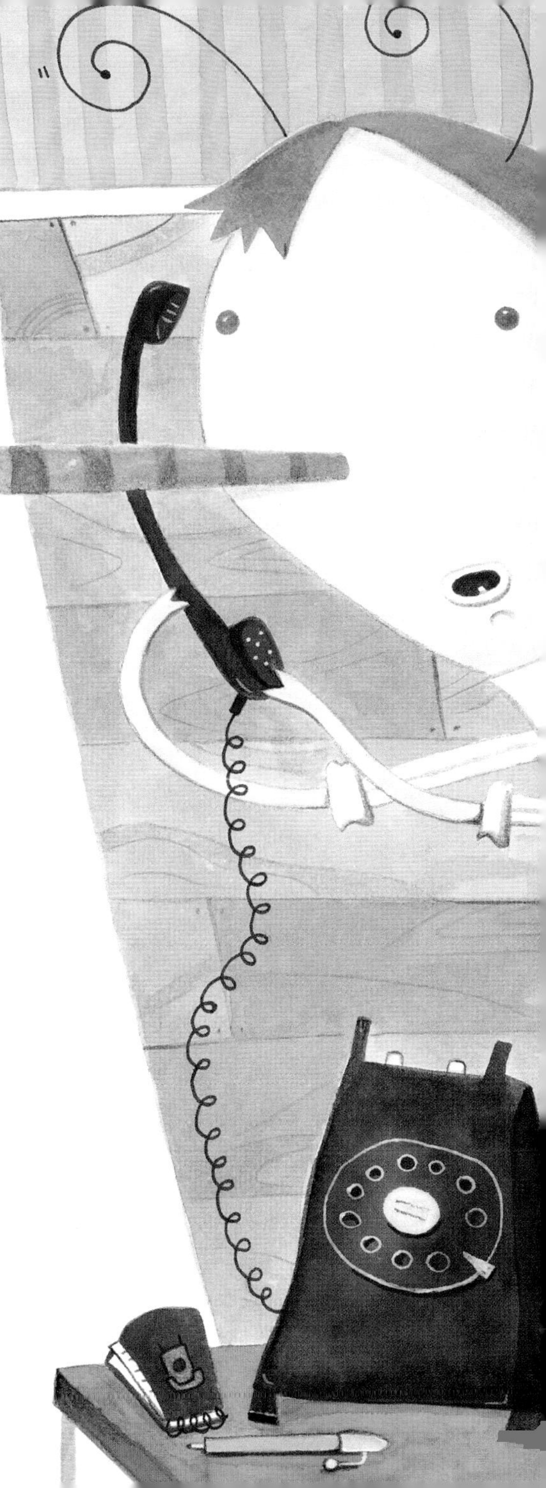

En moins de temps qu'il n'en faut pour dire « Ding, dong ! », on sonne à la porte.
– Merci d'être venu si vite, dit Théodore.
– C'est la moindre des choses, cher ami, répond Ahmed.

Loupe à la main, le jeune bourdon fait rapidement le tour de la chambre.
– Il faut chercher les indices et interroger les témoins, lance Ahmed. C'est écrit à la page 5 de mon manuel de détective. Où sont les témoins ?
– Il n'y en a pas, dit Théodore. Je suis seul ici.
– Alors, je vais t'interroger, déclare Ahmed.

Le détective Ahmed sort une photo de sa poche. Il la tend au mille-pattes.
–Monsieur le témoin, avez-vous déjà vu cette chaussure quelque part?

Théodore observe la photo bien attentivement.
–Bien sûr que oui. C'est une de mes chaussures de danse.

– En effet. Maintenant, faites un effort de mémoire. C'est très important. Quand avez-vous vu cette chaussure pour la dernière fois ?

Théodore est bien embêté. Il en a 999 autres exactement pareilles. Alors, celle-là ou une autre...
– C'est difficile à dire, commence le mille-pattes. Enfin, la dernière fois que j'ai porté mes mille chaussures, c'était hier, à l'école, pour la répétition générale.

–Intéressant. Très intéressant, marmonne Ahmed le détective. Avez-vous des ennemis, monsieur Théodore, des gens qui vous veulent du mal?

Théodore a beau chercher, il ne connaît personne qui puisse lui vouloir du mal.
–Alors, peut-être que quelqu'un a kidnappé votre chaussure pour obtenir une rançon.

Théodore est encore plus étonné. Il n'a pas d'argent pour payer une rançon!

C'est à ce moment que le téléphone sonne. Pas celui de Théodore. Celui qu'Ahmed cache dans son imperméable.
– Ahmed, détective, bonjour, clame le petit bourdon. Oui, oui, j'arrive tout de suite !

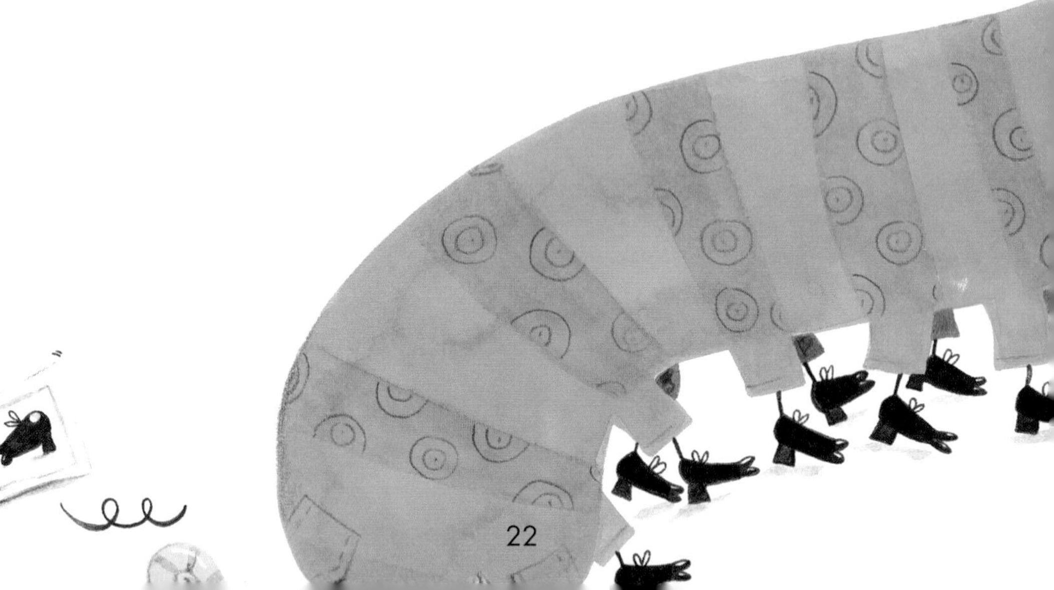

– Et ma chaussure ?
demande Théodore.
– C'est justement elle
qui m'appelle !

Sur ces mots étranges,
Ahmed sort par la
fenêtre. Tip-tap-tip-tap,
Théodore veut rattraper
son ami. Mais le
bourdon est déjà loin.

Ahmed fonce à la vitesse maximale, bien au-delà de la limite permise. Ses ailes vrombissent dans le vent d'automne. Il survole l'école. Puis il freine brusquement devant la maison de Dominique le lombric. Un nuage de pollen se soulève derrière lui.

Le bourdon frappe un grand coup à la porte. Il entend un bruit qui se rapproche. Tip-tip-tip-tip.

1000
MAX

La porte s'ouvre et...
c'est bien ce qu'il croyait !
Dominique le lombric sautille
sur un seul et unique soulier.
Celui de Théodore !
– Ah ! ah ! s'écrie le bourdon.
Je vous arrête pour vol de
soulier !
– Mais je n'ai rien volé !
pleurniche Dominique. Je l'ai
trouvé dans la rue, à côté de
l'école. Pour jouer, j'ai voulu
l'essayer, mais je n'arrive
plus à le retirer. C'est pour
ça que je t'ai appelé, gros
nigaud. Pour que tu m'aides
à l'enlever !

Le bourdon s'y met à plusieurs pattes pour tirer. Ah ! Ouh ! Hisse ! D'un coup, vlam tap ! il arrache le soulier qui valse aussitôt par la fenêtre.

Ahmed fonce à sa poursuite. Volant toujours à la vitesse de l'éclair, il rattrape le soulier. Juste à temps, car la précieuse chaussure allait s'écraser dans la boue.

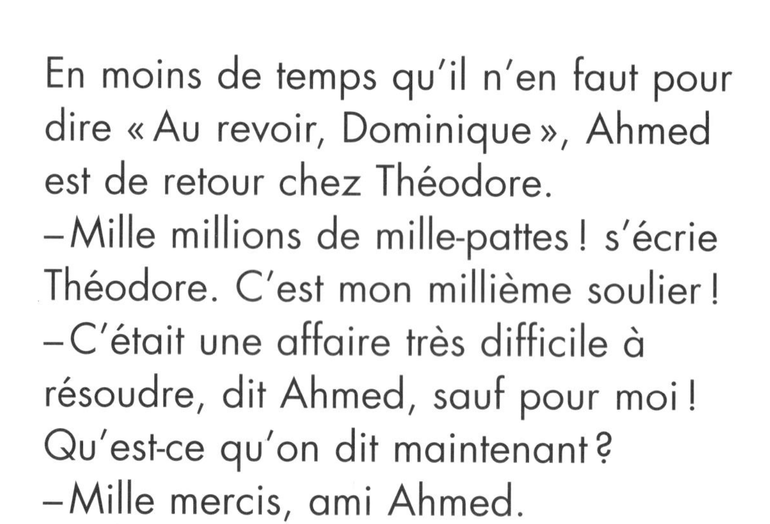

En moins de temps qu'il n'en faut pour dire « Au revoir, Dominique », Ahmed est de retour chez Théodore.
–Mille millions de mille-pattes ! s'écrie Théodore. C'est mon millième soulier !
–C'était une affaire très difficile à résoudre, dit Ahmed, sauf pour moi ! Qu'est-ce qu'on dit maintenant ?
–Mille mercis, ami Ahmed.

Et tip-tip-tap, tip-tip-tap, Théodore est de nouveau l'as des as de la danse à claquettes !